“哟，诺诺变胖啦！”

“从今天开始我要减肥！”

幼儿学习与发展童话系列

培养正确生活习惯的童话 | 小儿肥胖

诺诺不见了

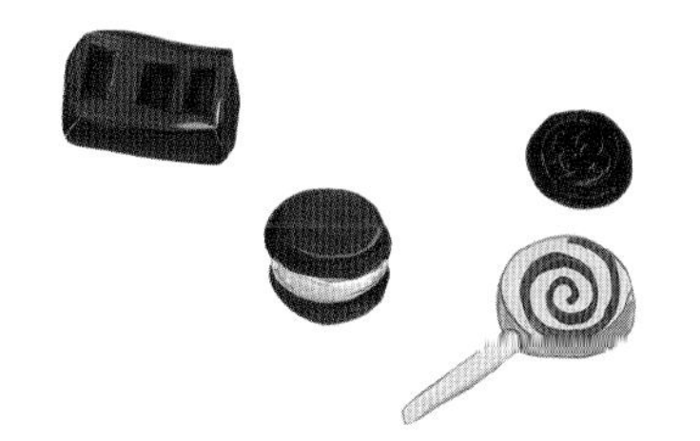

文.流星雨(韩)　图.金敏贞(韩)　译.金淑兰

長江出版傳媒 | 长江少年儿童出版社

祝诺诺和露露周岁生日快乐！♡

小猫咪诺诺和露露是一对可爱的双胞胎，诺诺是姐姐，露露是妹妹。

她们走到哪儿都形影不离，可是今天却不见了姐姐诺诺的影子。

事情就发生在昨天。

姐妹俩出去散步时无意中听到了狐狸大婶和山羊大妈的对话。

“哟，你看诺诺胖乎乎的，可露露就很苗条啊。”

“呵呵呵，诺诺没准把露露的饭都给吃了吧。”

一听这话，诺诺生气地撅起了小嘴巴。

半路上露露碰见了狮子叔叔和狼伯伯：

“怎么不见你姐姐呀？”

“姐姐在后面呢，她气喘吁吁的，想走慢点儿。”

露露指着远处慢腾腾地走来的诺诺说。

“也许诺诺太胖了，走不动了。”

“减肥不就没事儿啦……”

露露也觉得他们说得有理。

“哼，大家都以为我是饭桶呢。”

诺诺一想起昨天的事儿，就很生气。

是不是太生气了，就感觉肚子饿了呢？

诺诺一眨眼的功夫就吃掉了一个大披萨、五个汉堡包！

还咕噜咕噜喝进了三杯可乐！

吃完就咕咚躺在床上。

“姐姐，一块出去运动吧！”

“不去！”诺诺躺在床上懒洋洋的，连眼皮也不抬一下。

“运动能调节情绪，还能减肥……”

“哎呀，讨厌死了！”

诺诺不耐烦地呵斥了一声。

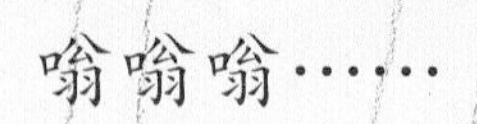

露露跳绳的声音，像催眠曲似的，诺诺不一会儿就呼噜呼噜睡着啦。

L
原味薯片

“诺诺，诺诺！你在哪儿啊？”

爸爸妈妈在找诺诺。

“我不是在这儿嘛！”

“哦，不对呀。我家诺诺可没你这么肉嘟嘟的呀！”

妈妈和爸爸坚决地摇了摇头。

“姐姐！姐姐！”

露露在寻找姐姐。

“露露啊,我不是在这儿吗？”

“不对，不对。我姐姐没你这么又懒又胖。”

“这怎么办呀？大家伙儿都认不出我来了。”

诺诺急得直跺脚。

原本熟悉的左邻右舍也认不出她了，“大婶，大叔！我就是诺诺！”

“我就是诺诺啊！”

可是居然没有人相信她的话。

“我就是诺诺！”

诺诺一下子从床上跳起来了。

哦，是在做梦啊。

“唉，是一场梦啊，真是万幸。”

诺诺边擦额头的汗边自言自语道。

“从今天开始我要减肥了。

从前我是又懒又馋，可现在起我要少吃零食多运动。

我要向露露学习。”

说完，诺诺带着呼啦圈跑出去了。

几个月之后……

诺诺和露露手拉着手在散步。

你看！

诺诺变苗条了吧？

舞蹈游戏

如今的小朋友们从小就热衷于看电视和玩电脑。相比之下，很少在运动场或小区游乐场见到他们嬉戏奔跑的身影。长期不运动会导致体能的下降,最终危害身体的健康。

如果孩子不喜欢运动，可以把运动当游戏来做。伴着优美的音乐舞动身姿的舞蹈将会成为替代运动的好游戏。

活动目标　通过简单的舞蹈动作,让孩子把运动当游戏来做。

让我们动动手吧

可以通过互相竞猜对方舞蹈动作的含义来引起孩子对舞蹈的兴趣哟。

1 先欣赏伴舞的音乐。

2 边欣赏音乐边思考如何用舞蹈来表达。

3 和小伙伴一起踩着节拍做些简单的动作。

4 互相交流舞蹈动作的正确与否。

活动效果

1. 音乐可以让孩子的身心得以充分的放松。
2. 通过音乐与舞蹈动作的和谐，培养孩子动作的协调性。
3. 提高对音乐和舞蹈的想象力和表现力。
4. 可以预防小儿肥胖症。

在本书中诺诺有哪些错误的做法呢？请你看图连线吧。

吃完饭马上
躺下或睡觉。

喜欢吃那些容易
长胖的食物。

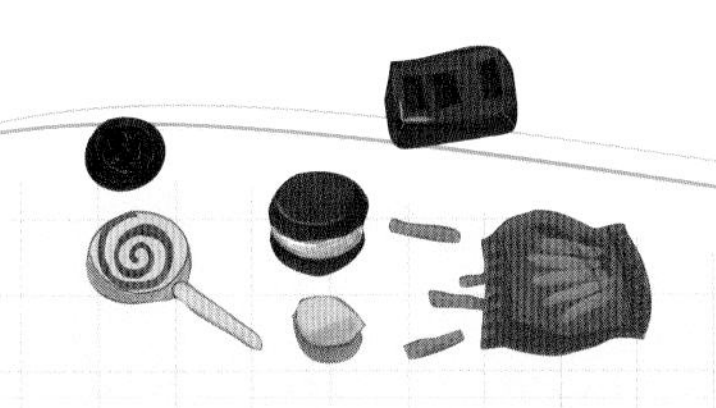

你是不是已经养成了健康的饮食习惯呢？和正确的做法比照一下吧。

1. 合理分配一日三餐。□
2. 一天吃零食的次数不超过两次。□
3. 尽量多吃蔬菜、水果和海带、紫菜等海藻类食物。□
4. 尽量避免吃披萨、汉堡等快餐食品。□
5. 尽量避免吃油炸食品。□
6. 尽量少吃甜食，如巧克力、碳酸饮料等。□
7. 要强调口味清淡。□

图书在版编目(CIP)数据

培养正确生活习惯的童话 / (韩) 流星雨著；金淑兰，韩龙浩译.
-武汉：长江少年儿童出版社，2016.2
(幼儿学习与发展童话系列)
ISBN 978-7-5560-3860-2

Ⅰ.①培… Ⅱ.①流… ②金… ③韩… Ⅲ.①故事课-学前教育-教学参考资料 Ⅳ.①G613.3

中国版本图书馆CIP数据核字(2016)第021062号

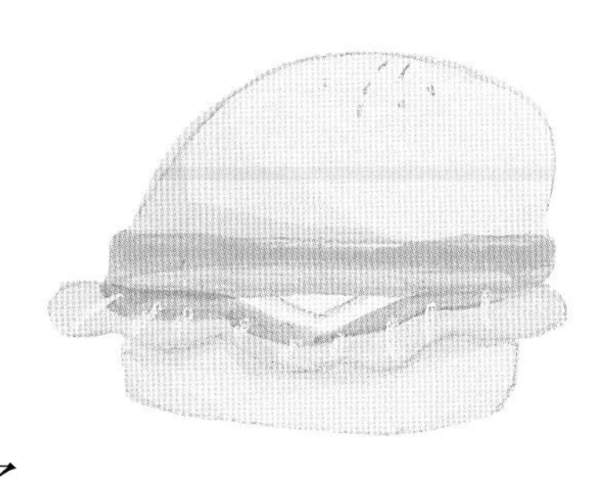

幼儿学习与发展童话系列 诺诺不见了

父母指导书·幼儿培养百科

诺诺不见了

原　　著：文.流星雨(韩)　图.金敏贞(韩)　译.金淑兰
丛书策划：李　兵　刘建华
责任编辑：姜晓鹏　朱孟媛
美术设计：孙　伟　李　菁
出版发行：长江少年儿童出版社
经　　销：新华书店湖北发行所
印　　刷：咸宁市星海印刷厂

开本印张：24开　1.5印张
版　　次：2016年2月第1版　2016年2月第1次印刷
书　　号：ISBN 978-7-5560-3860-2
定　　价：150.00元(共十册)
业务电话：(027) 87679197　87679199
http://www.hbcp.com.cn

培养语言能力和创意力的童话

拟声词①	嘎嘎爸爸、妈妈
拟声词②	早上好
拟态词①	下雨啦
拟态词②	做饼干
感知力	星星月亮去哪儿
智慧力	生日礼物
想象力	圣诞爷爷的新雪橇
创造力	小蝙蝠看太阳
感悟力	会飞的雨伞
观察力	这是啥?

培养正确生活习惯的童话

清洁	脏兮兮臭烘烘
刷牙	哎哟,我的牙
排便	拉便便
睡眠	梦里真好玩
小儿肥胖	诺诺不见了
饮食	吧唧吧唧
生病	可怕的医院
穿衣服	爱捣蛋的吉利利
打扫房间	咕咚咕咚怪物
乱涂乱画	爱画画的尼尼

培养家庭关系和情感的童话

喜悦	祝你生日快乐
感情	鸡妈妈是大狐狸
逆反心理	我偏不
偏爱	爸爸妈妈好偏心
模仿	小胖总是学别人
读书	吃书的怪物不见了
勇气	我不是个胆小鬼
自信	其实我也很漂亮
关爱	怪怪的魔女婆婆
死亡	我的爷爷在天堂

培养邻里关系的童话

交朋友	一个人玩儿真没意思
友爱	吵架的好朋友
帮助朋友	小小兔的好朋友
和解	对不起
问候	害羞鬼阿德里
分享	小白兔的树墩
包容	小妖怪胖胖搬来了
单亲家庭	我也有爸爸
差异	奇怪的一家人
祝福	特别的礼物

培养价值观形成的童话

尊重自己	独一无二的我
贪心	随心所欲的狮子
沟通	蝙蝠成了外交官
约定	哎呀魔女雅雅
分享	熊叔叔的幸福冬眠
关心	谢谢你,太阳公公
包容	强壮真强
残疾	小动物的礼物
偏见	世界是什么样子呢?
作诗	林中小诗人

培养安全和性教育的童话

生命诞生	我是怎么诞生的呢?
性别角色	妈妈当爸爸,爸爸当妈妈
预防性暴力	要是陌生人摸我身体
防止迷路	小松鼠和小白兔迷路了
防止拐骗	小心大灰狼
家庭安全	又又是个好奇宝宝
户外安全	对不起,游乐场!
交通安全	波波,快帮帮我!
预防灾难	小蜜蜂安检
游戏中毒	电脑搬到客厅了